THE
SOUND
OF
WHITE

MISSY
HIGGINS

PUBLISHER DETAILS AND COPYRIGHT NOTICES

This publication © Copyright 2004 Sasha Music Publishing

ISBN 978-1-86367-479-9

Published by Sasha Music Publishing.
A division of All Music Publishing and Distribution Pty Ltd
ACN 079 628 434 ABN 79 079 628 434
PO Box 1031, Richmond North,
Victoria 3121, Australia.

Phone: +61 (0)3 8415 8000
Fax: +61 (0)3 8415 8066
Email: copyright@ampd.com.au

For any queries or suggestions regarding Sasha Music Publishing editions, please contact the Publications and Copyright Manager according to the details above.

ACKNOWLEDGEMENTS

Sasha Music Publishing would like to thank EMI and Warner/Chappell for kindly granting permission to include works they own and/or control.

Special thanks to John Watson at Eleven and John Watson Management for making this publication possible.

Production and Editing:	Catherine Gerrard
Transcription:	Ray Smith
Additional Transcription:	Colin Read and Leon Blaher
Publishing Assistant:	Claire Smiddy
Typesetting:	Musictype, South Australia
Cover design:	Matthew Braden Design, Victoria
Printing:	BPA Print Group, Victoria

CONTENTS

ALL FOR BELIEVING   4

DON'T EVER   10

SCAR   15

TEN DAYS   20

NIGHTMINDS   26

CASUALTY   31

ANY DAY NOW   37

KATIE   41

THE RIVER   46

THE SPECIAL TWO   52

THIS IS HOW IT GOES   59

THE SOUND OF WHITE   64

THEY WEREN'T THERE   72

All For Believing

Words and Music by
MISSY HIGGINS

5

VERSE 3

Pull back the shield be-tween__ us __ and I'll kiss__ you.

Drop your de-fen - ces and__ come__ in to my__ arms.

__ I'm all for be-liev - ing__ if you can re -

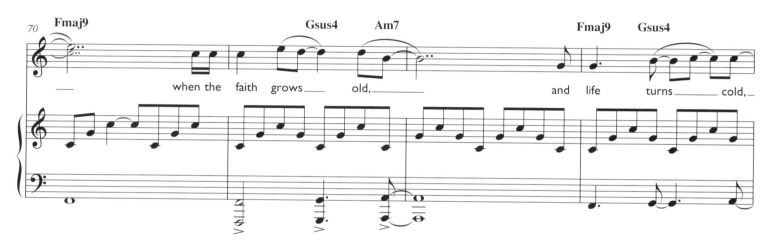

Don't Ever

Words and Music by
MISSY HIGGINS and KEVIN GRIFFIN

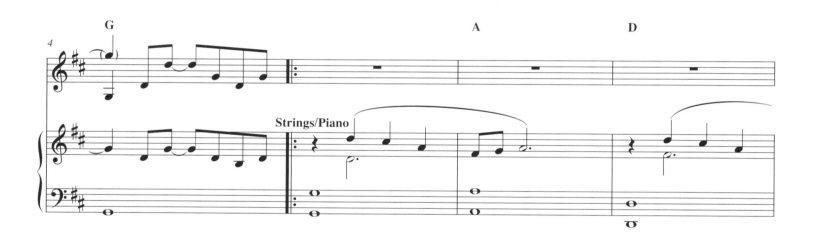

Let's take the train ___ to an-y-where, ___ I

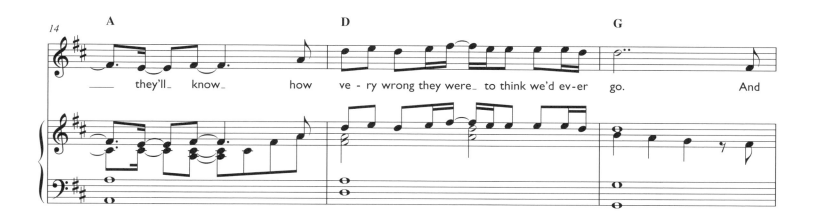

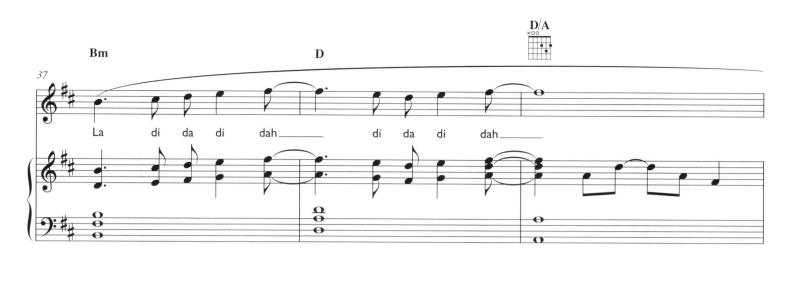

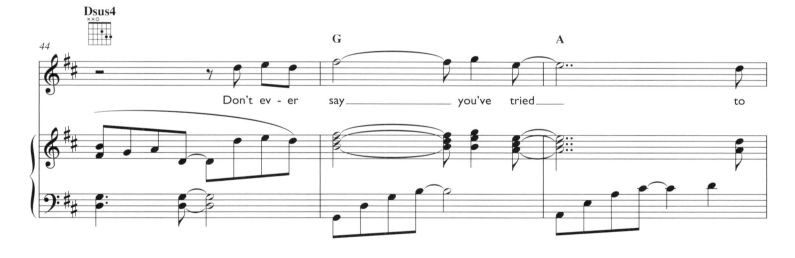

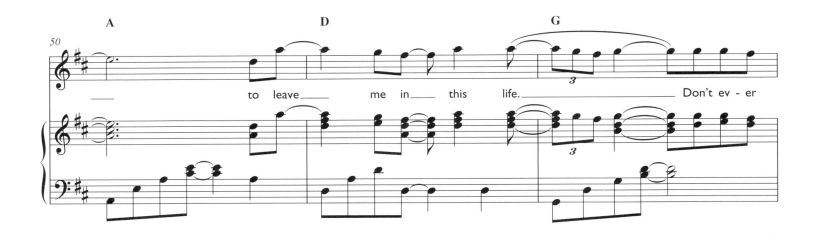

to leave_____ me in_____ this life._____ Don't ev - er

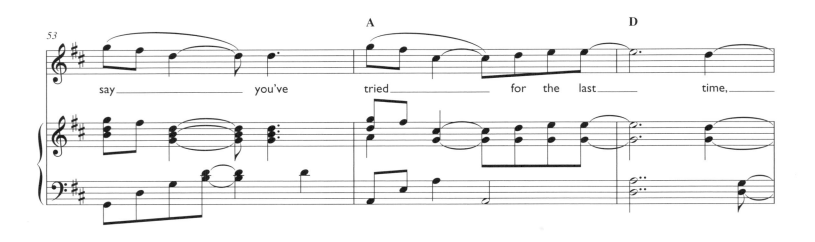

say _____ you've   tried_____ for the last_____ time,_____

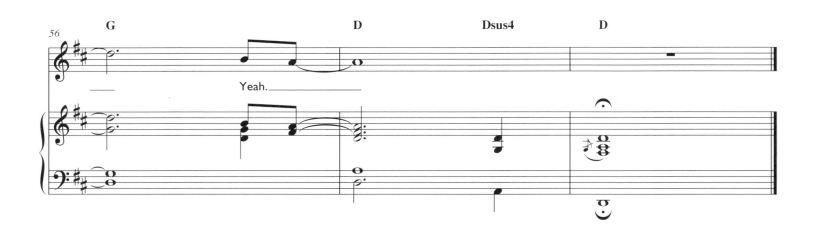

Yeah._____

Verse 2
    We'll get a house
    where the trees hang low
    and pretty little flowers
    on our window sill will grow.
    We'll make friends
    with the milkman
    and the butcher Mr Timms
    will give us discounts when he can.

Scar

Words and Music by
MISSY HIGGINS and KEVIN GRIFFIN

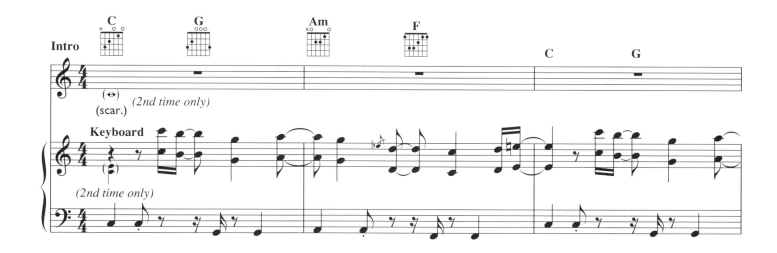

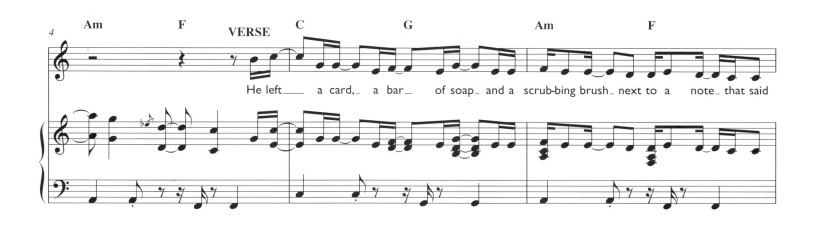

He left___ a card,_ a bar_ of soap_ and a scrub-bing brush_ next to a   note_ that said

"Use these_   down to your_ bones."_   And be-fore_ I knew_ I had shi - ny skin_and it felt

Publication © Copyright Sasha Music Publishing, a division of All Music Publishing and Distribution Pty Ltd ACN 079 628 434 ABN 79 079 628 434
PO Box 1031, Richmond North, Victoria 3121, Australia.

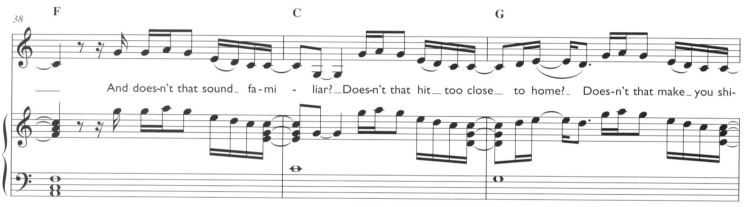

Verse 2

So the next one came with a bag of treats,
she smelled like sugar and spoke like the sea
and she told me don't trust them, trust me.
Then she pulled at my stitches one by one,
looked at my insides clicking her tongue and said
"This will all have to come undone."

Ten Days

Words and Music by
MISSY HIGGINS and JAMES MAJOR CLIFFORD

VERSE 2

You won't talk me in - to it___ next time,___ if I'm go-ing a - way

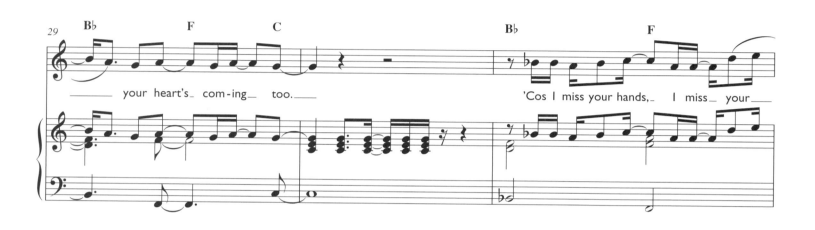

_____ your heart's___ com-ing___ too.___ 'Cos I miss your hands,___ I miss___ your

_____ face,_____ when I___ get back___ let's dis-ap-pear___ with-out___ a trace.___ 'Cos it's___ been ten

PRECHORUS

_____ days___ with-out you in my___ reach_____ and the on - ly time I've touched___ you is in___ my___

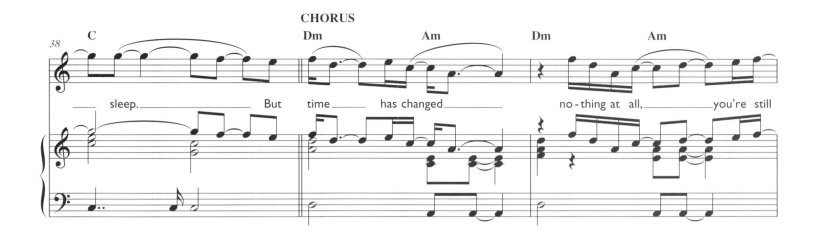

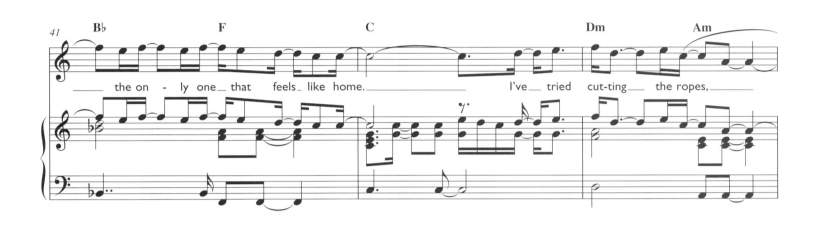

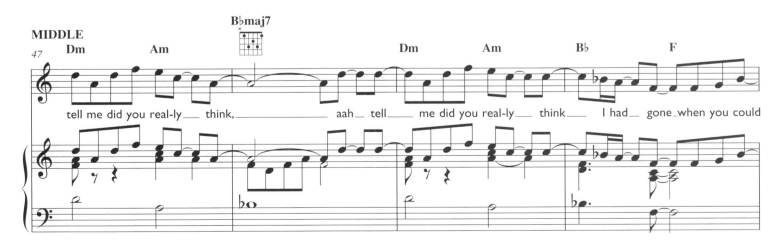

-n't___ see me an - y more,_____ when you could - n't.___

SOLO

'Cos ba - by time_____ has changed_____ no-thing at all,_____ you're still

the on - ly one__ that feels__ like__ home.__ And I've__ tried cut-ting__ the ropes,__

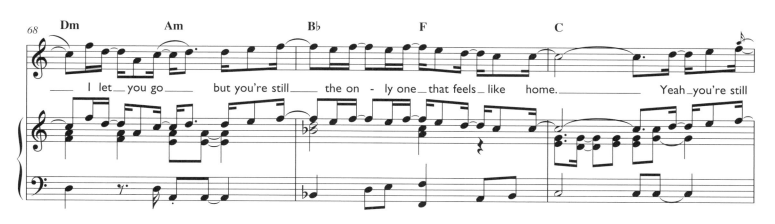

I let__ you go__ but you're still__ the on - ly one__ that feels__ like__ home.__ Yeah__ you're still

__ the on - ly one__ that feels__ like__ home. You're still__ the on - ly one__ I've__ got to

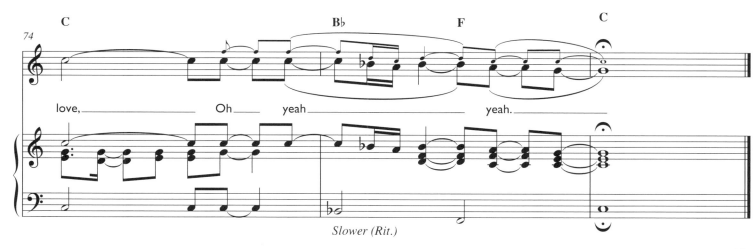

love,__ Oh__ yeah__ yeah.__

Slower (Rit.)

Nightminds

Words and Music by
MISSY HIGGINS

All print rights on behalf of Missy Higgins administered by Sasha Music Publishing
Publication © Copyright Sasha Music Publishing, a division of All Music Publishing and Distribution Pty Ltd
ACN 079 628 434 ABN 79 079 628 434 PO Box 1031, Richmond North, Victoria 3121, Australia.

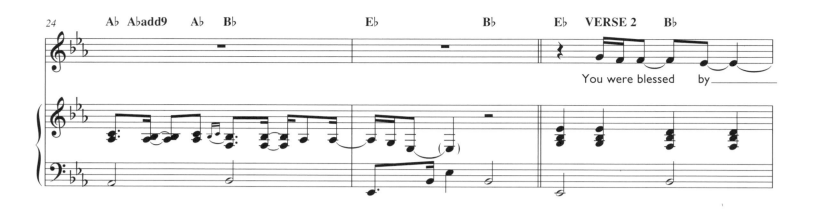

You were blessed by ____

____ a diff-erent kind ____ of inn - er view: it's all mag-ni - fied ____ the

highs would make ___ you fly ____ but the lows make you ___ want to ___ die. ____ And I was once ___ there ____

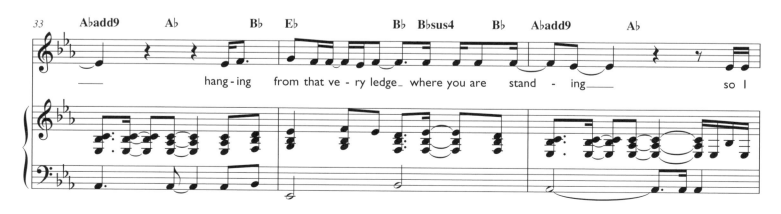

____ hang-ing from that ve-ry ledge ___ where you are stand - ing ____ so I

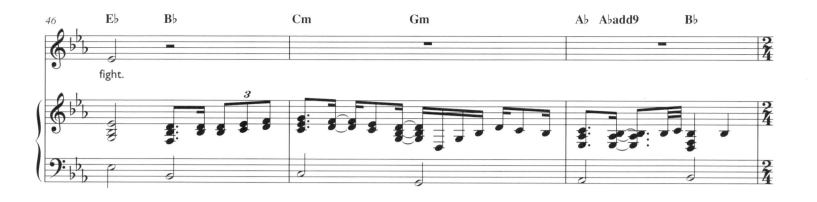

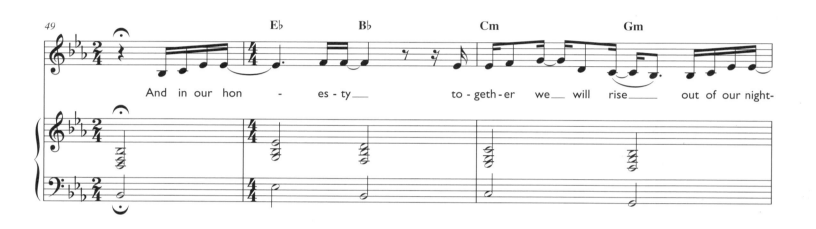

And in our hon - es-ty___ to-geth-er we___ will rise___ out of our night-

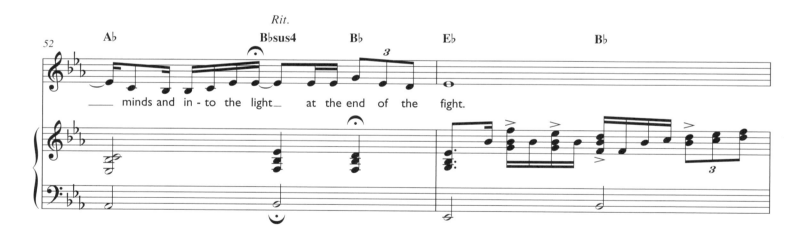

___ minds and in-to the light___ at the end of the fight.

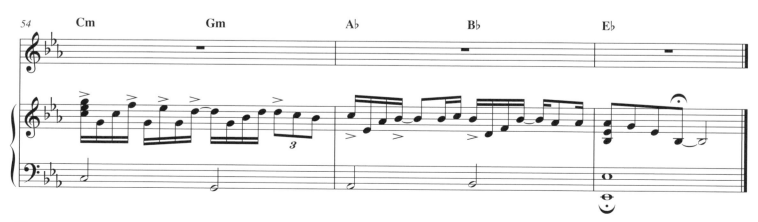

Casualty

Words and Music by
MISSY HIGGINS and KEVIN GRIFFIN

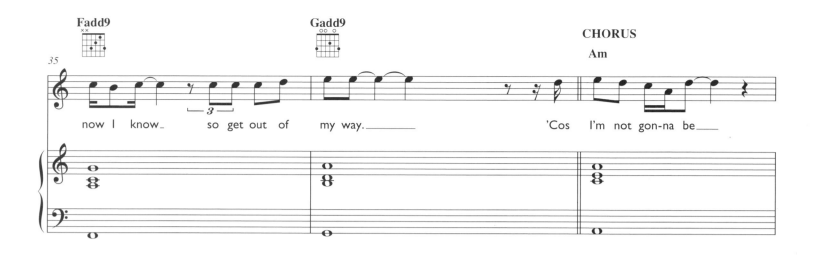

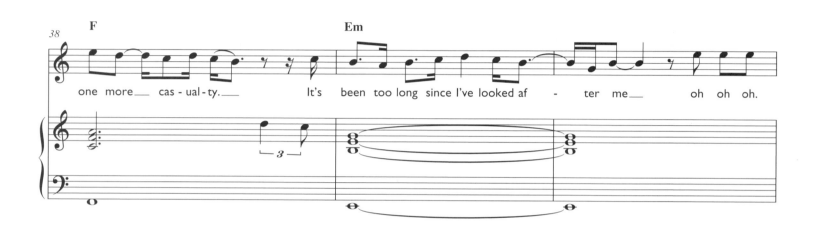

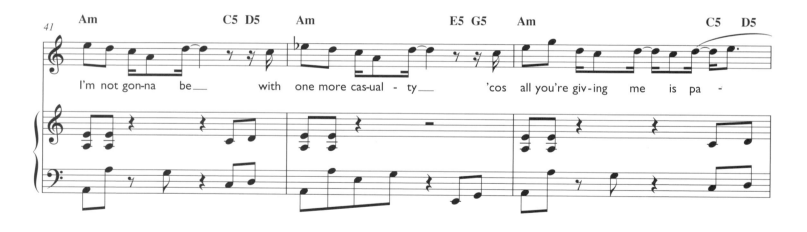

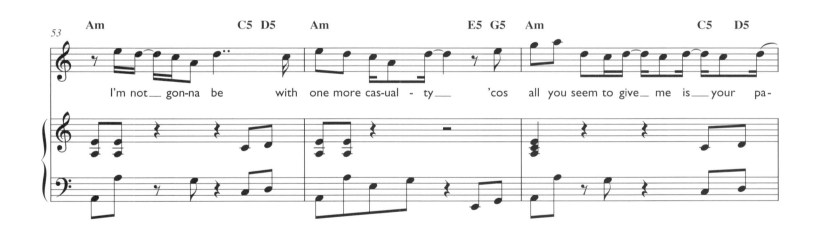

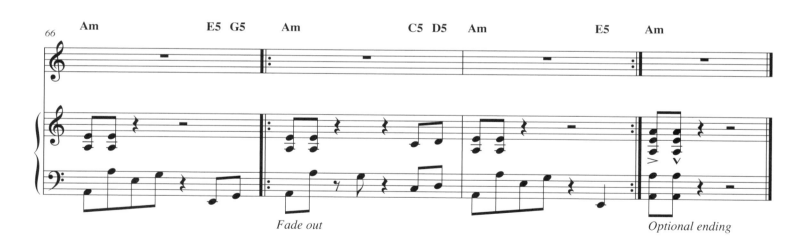

Fade out

Optional ending

Verse 2

    Tell me I'd find you're happy inside and if I end this you'll be fine,

    Oh, tell me a lie.

    Just look at me and say honestly that I'm all you want, not what you need.

Prechorus 2

    Oh, make it your best lie, love.

    'Cos I'm holding up a crystal glass dove in my hands

    And if you do fall, if it does fall it's my fault.

Any Day Now

Words and Music by
MISSY HIGGINS

quest-ion-ing___ the rea-sons   why no-thing   beau-ti-ful___ does   last._____

some sur-pris-ing   day,_____

an-y day   now.

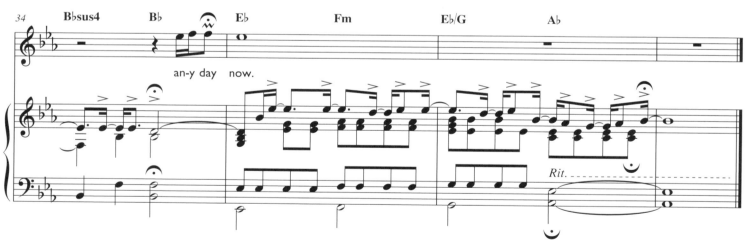

Verse 2

How come, how come, how come
I'm now on a road holding out my thumb?
If you know my destination please
buy me the fastest car and throw me the keys.

Katie

Words and Music by
MISSY HIGGINS

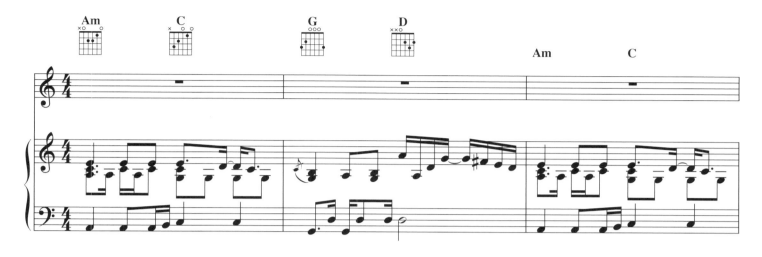

VERSE 1

Ka-tie was a lit-tle girl_____

who said "I'll find_ a way."_____ Ka-tie was a lit-tle girl_____

Yeah, _____ and she__ said__ "Go." __

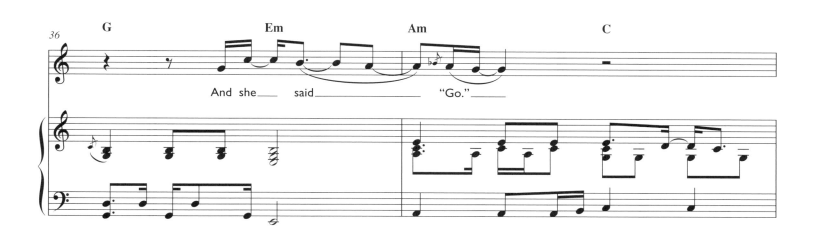

And she__ said_____ "Go." _____

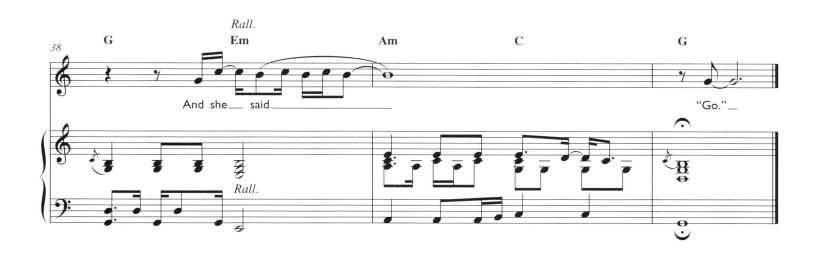

Rall.

And she__ said_____ "Go."__

Verse 2
Katie was a little girl
who never found the way.
Katie was a little girl
who never was okay.

The River

Words and Music by
MISSY HIGGINS and CLIF MAGNESS

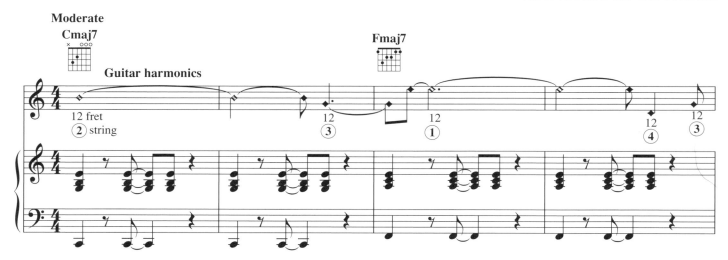

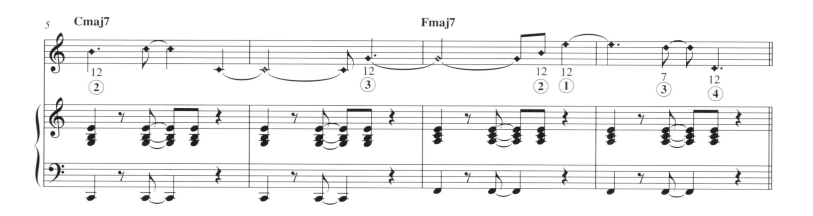

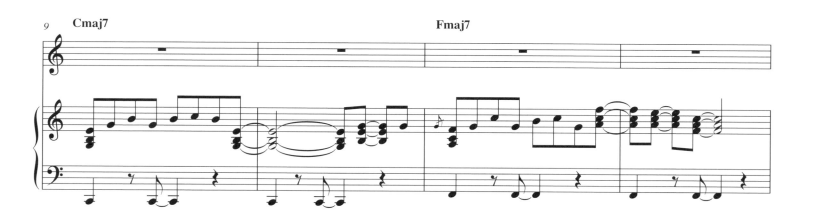

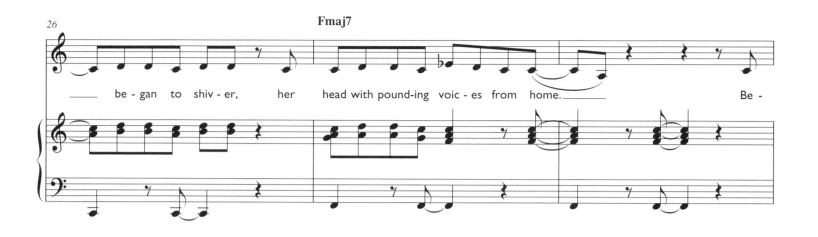

be - gan to shiv - er, her head with pound-ing voic - es from home. ___ Be -

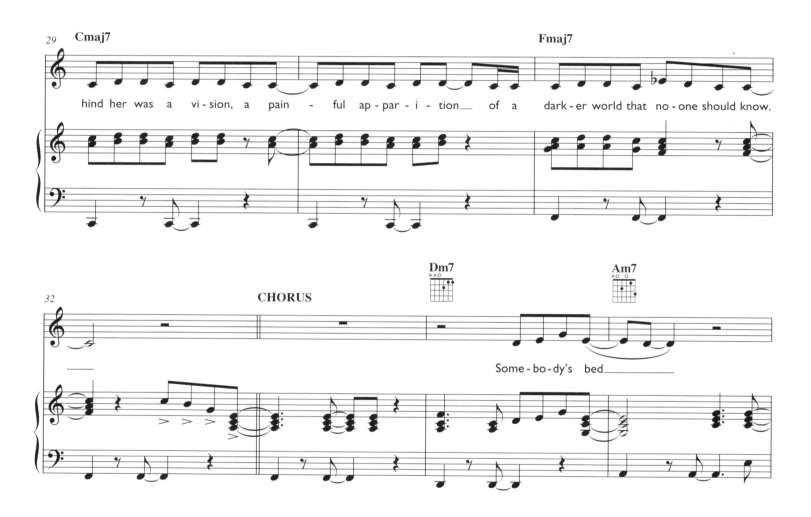

hind her was a vi - sion, a pain - ful ap-par - i - tion ___ of a dark-er world that no - one should know.

CHORUS

Some - bo - dy's bed ___

will nev - er be warm ___ a - gain, ___ the riv - er will keep ___ this ___ friend.

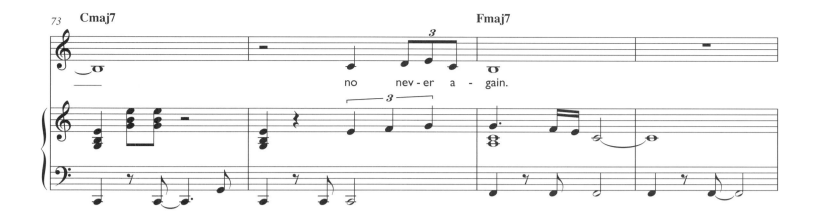

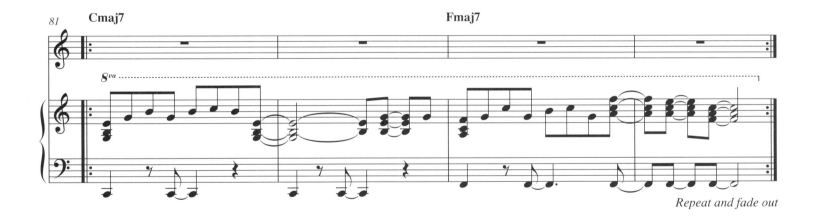

Repeat and fade out

Verse 2

> She dived beneath the water's icy skin
> hoping the cold would kill the smell of angry gin,
> and her eyes grew wider than they'd ever been
> just wishing the numbness to go deeper
> with its pins.

Prechorus 2

> And as her body lay there
> she decided to stay there
> 'til darkness came to pull her away
> and beautifully she sank as up river was a bank
> where some bodiless troubles would stay.

The Special Two

Words and Music by
MISSY HIGGINS

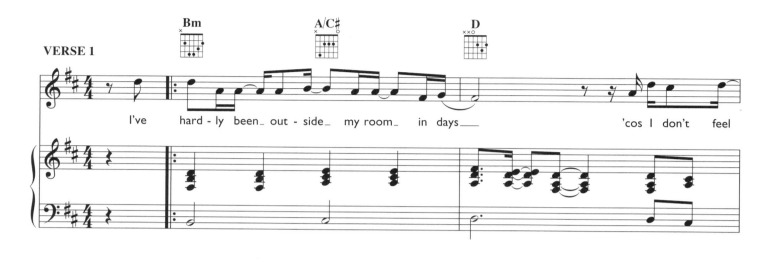

VERSE 1

I've hard-ly been out-side my room in days 'cos I don't feel

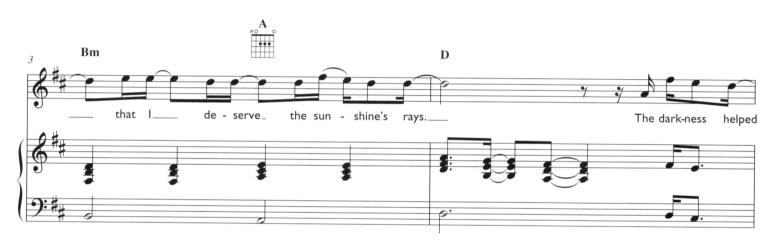

that I de-serve the sun-shine's rays. The dark-ness helped

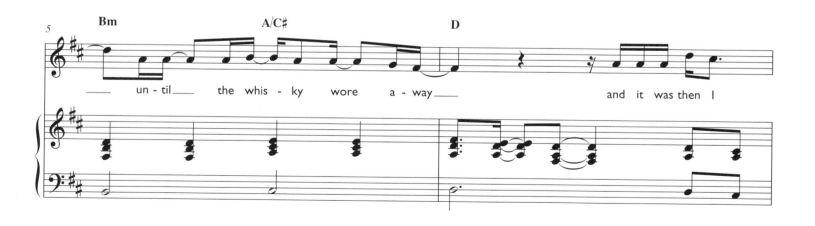

un-til the whis-ky wore a-way and it was then I

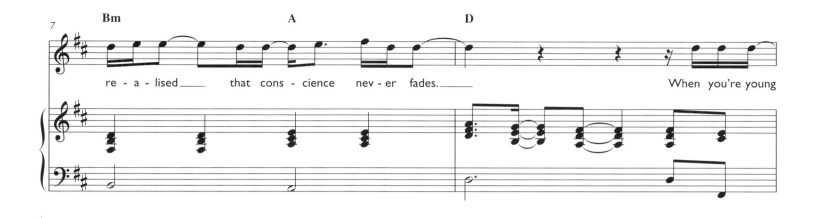

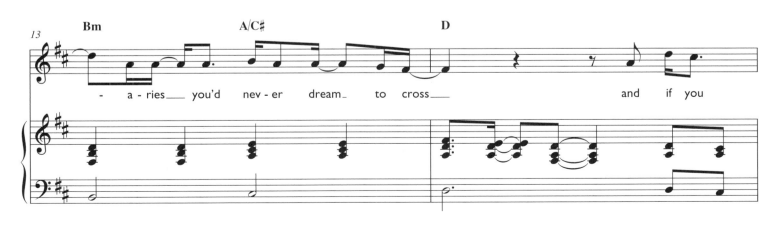

we could on - ly see__ each oth - er we'll breathe__ to - ge - ther, these arms__ will not__ be taught

__ to need a - no - ther's __ 'cos we're the spe - cial two.__

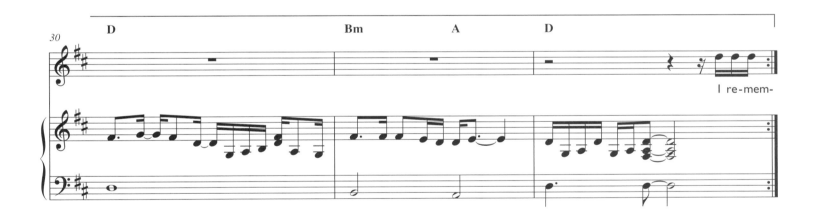

I re - mem-

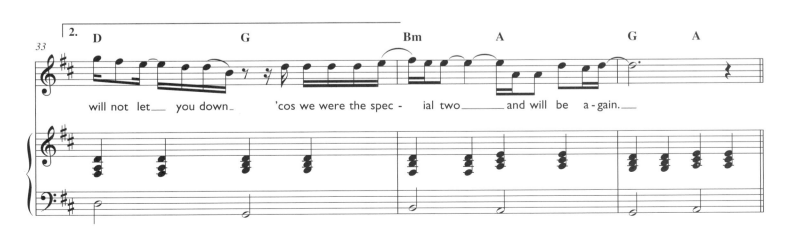

will not let__ you down__ 'cos we were the spec - ial two_____ and will be a - gain.__

CHORUS

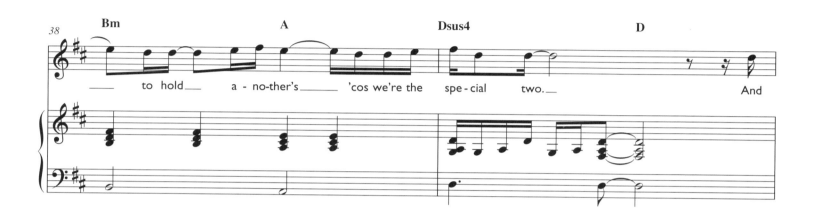

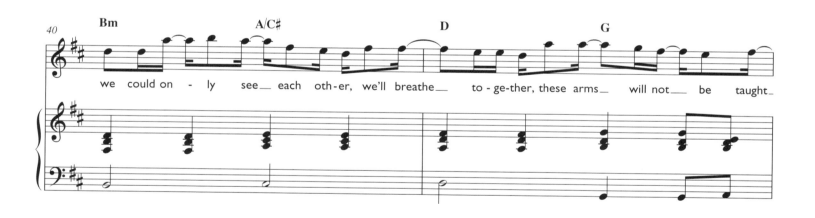

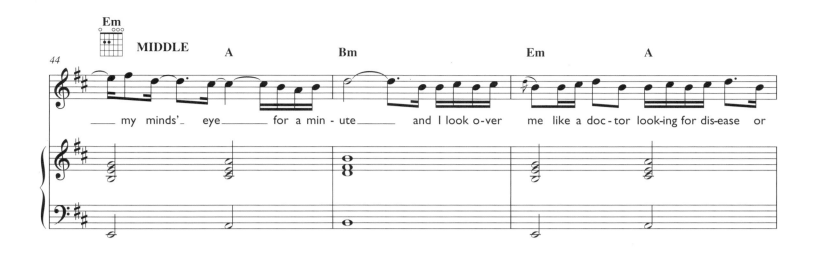

MIDDLE

____ my minds' eye _____ for a min - ute _____ and I look o - ver me like a doc - tor look-ing for dis-ease or

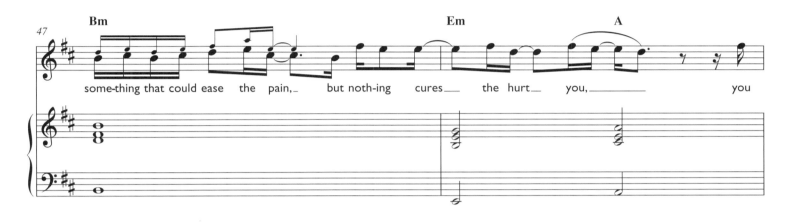

some-thing that could ease the pain, __ but noth-ing cures ____ the hurt ___ you, _____ you

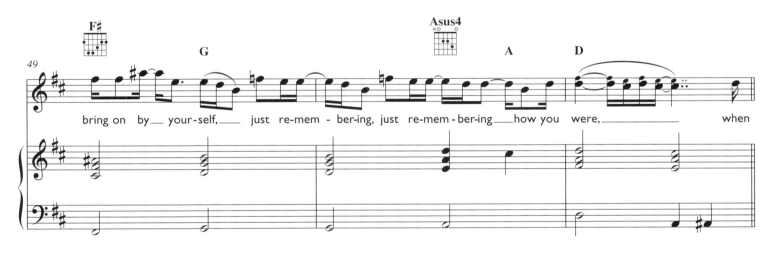

bring on by __ your-self, ___ just re-mem - ber-ing, just re-mem - ber-ing ___ how you were, _____ when

CHORUS

we would on - ly need __ each oth-er, we'd bleed ____ to - ge-ther, these hands __ will not be taught __

to hold a - no - ther's_____ we were the spe - cial two._____ And

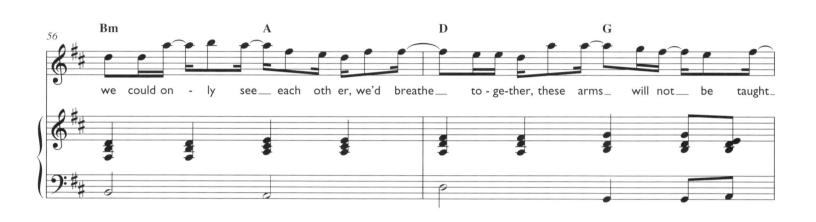

we could on - ly see__ each oth er, we'd breathe__ to - ge - ther, these arms__ will not__ be taught__

to need a - no - ther's__'cos we're the spe - cial two.__

Slower

Verse 2

I remember someone old once said to me
that lies will lock you up with truth the only key.
But I was comfortable and warm inside my shell
and couldn't see this place would soon become my hell.
So is it better to tell and hurt or lie to save their face?
Well I guess the answer is don't do it in the first place.
I know I'm not deserving of your trust from you right now,
but if by chance you change your mind you know I will not
let you down 'cos we were the special two and will be again.

This Is How It Goes

Words and Music by
MISSY HIGGINS

VERSE 1

Sud-den-ly I can't stay__ in this room.__ You'll nev-er

sway and I have noth-ing left that I can think of to say.__

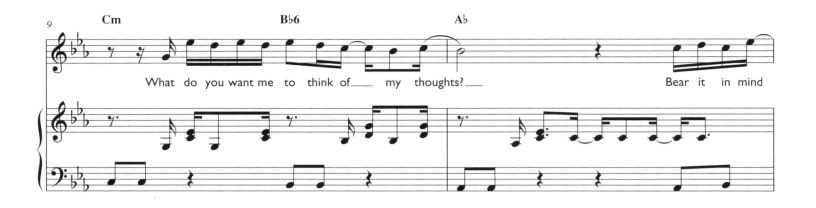

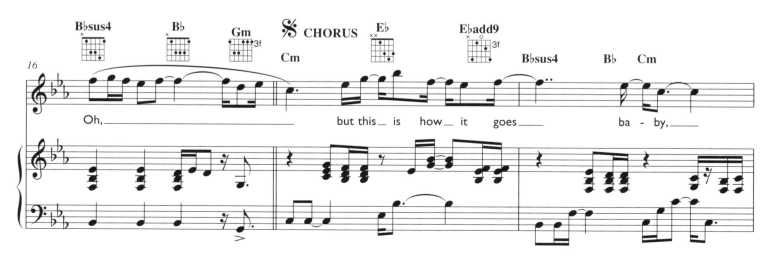

I get an-gry at___ your words___ and I'll___ go home.___

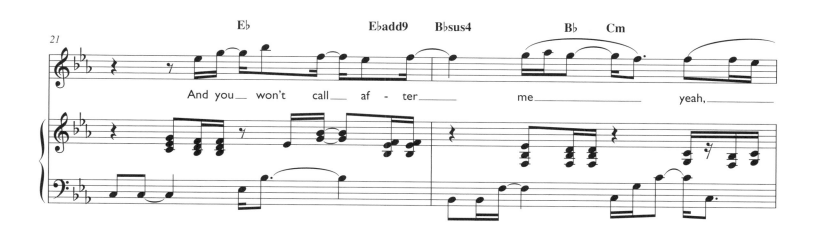

And you___ won't call af - ter_____ me_____ yeah,_____

To Coda

1.

_____ 'cos I'll be back___ be-fore_you know,_____ you know,___ whoa.___

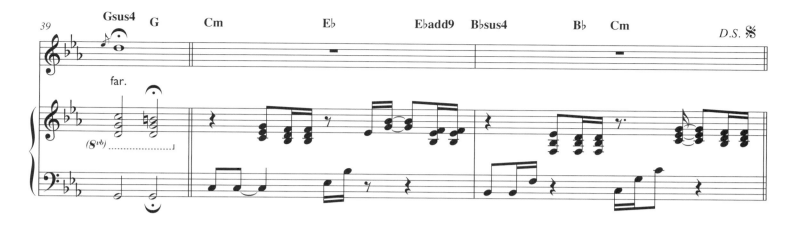

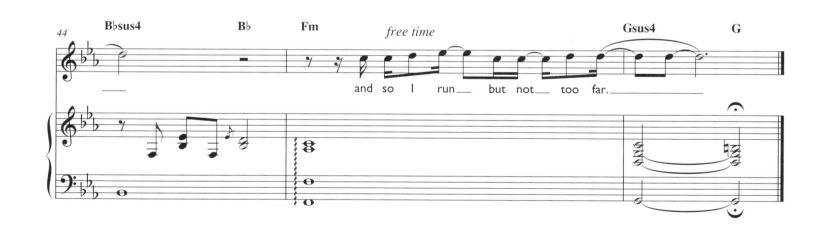

Verse 2

So give me a toothful of that smile
and know-it-all eyes you show me just to prove that
you don't need to lose it.
You tell me I'm your fortress of desire
but is it a crime for me to say my own view
and want then not to fear you?

The Sound Of White

Words and Music by
MISSY HIGGINS

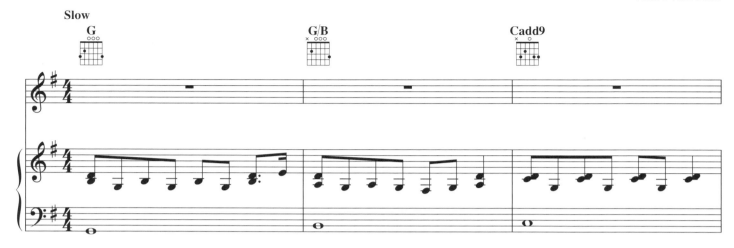

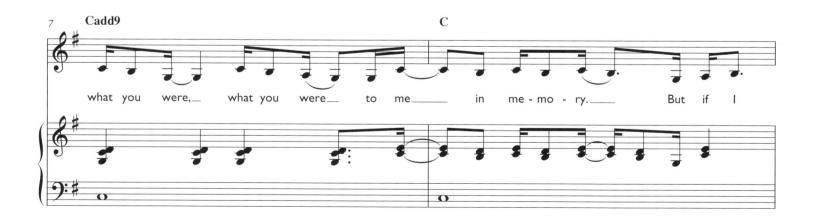

lis - ten to____ the dark____ you'll em - brace____ me like____ a star,____ en - vel - ope me,____

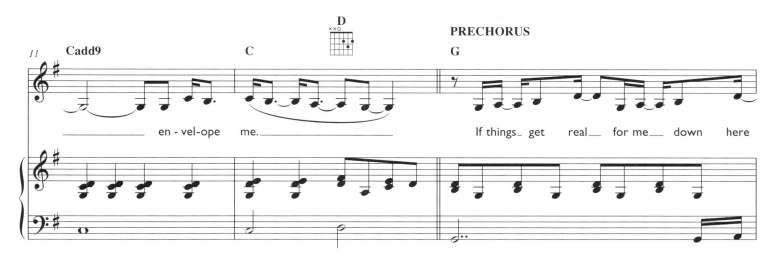

PRECHORUS

____ en - vel - ope me. ____ If things__ get real__ for me__ down here

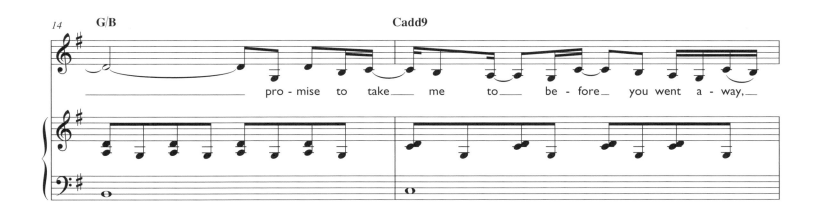

____ pro - mise to take____ me to____ be - fore____ you went a - way,

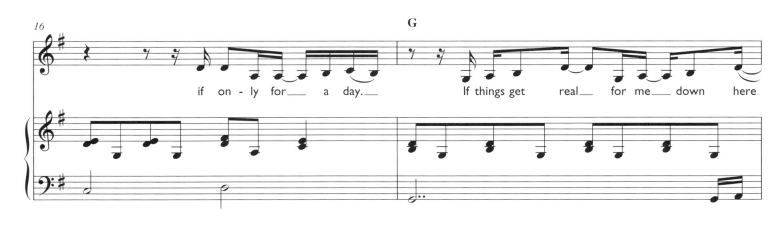

if on - ly for____ a day.____ If things get real____ for me____ down here.

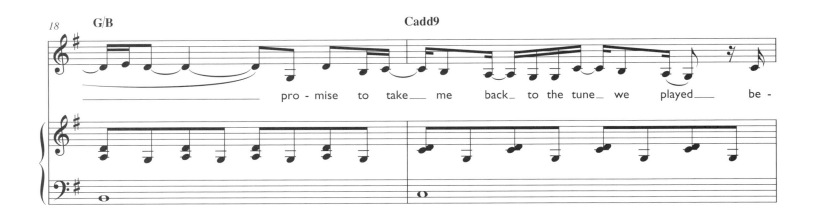

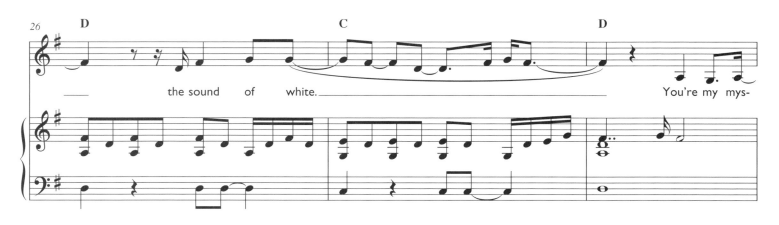

-te-ry,___ one mys-ter-y,___ my mys-ter-y,___ one mys-ter-y.___

VERSE 2

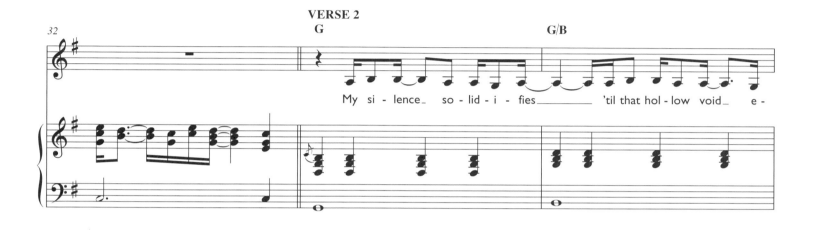

My si-lence_ so-lid-i-fies_____ 'til that hol-low void_ e-

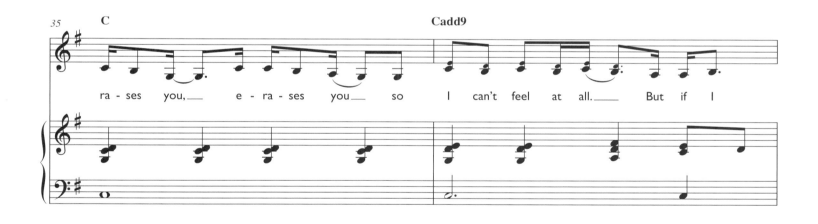

ra-ses you,___ e-ra-ses you___ so I can't feel at all.___ But if I

nev-er feel_ a-gain_ at least that noth-ing-ness_ will end_ the pain-ful dream_____ of you and

PRECHORUS

me. _____ If things get real_ for me_down here_____ pro-mise to take

_____ me to_____ be - fore_ you went a - way_____ if on - ly for_ a day._

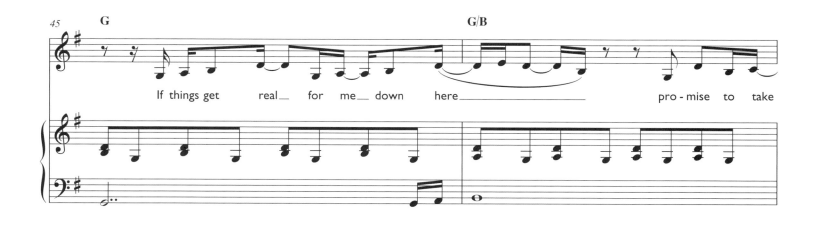

If things get real_ for me_ down here_____ pro - mise to take

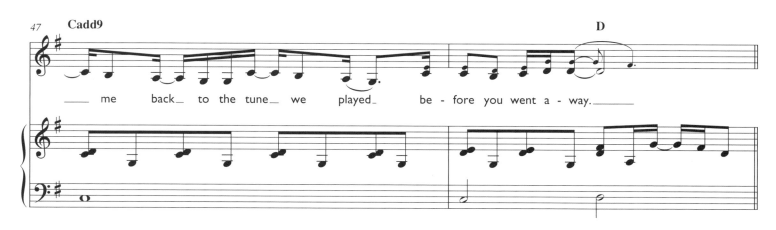

_____ me back_ to the tune_ we played_ be - fore you went a - way._____

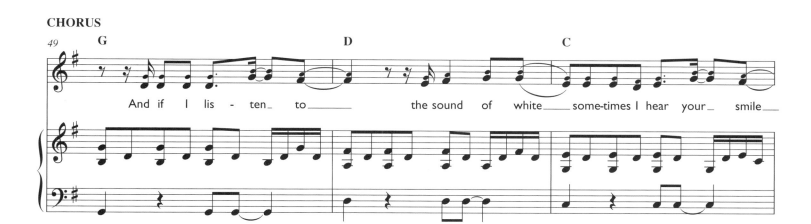

I knelt___ be - fore___ some strang - er's___ face,___ well I'd nev-er had the cour-

age or be - lief___ to trust___ this place,___ but I dropped___ my___ head___ 'cos it felt___ like___ lead

and I'm sure I felt___ your fin - gers through my hair.___

CHORUS

And if I lis - ten___ to_____ the sound of white___ some-times I hear your___ smile

and breathe your_ light._ Yeah if I lis - ten_ to_ the sound of white,_

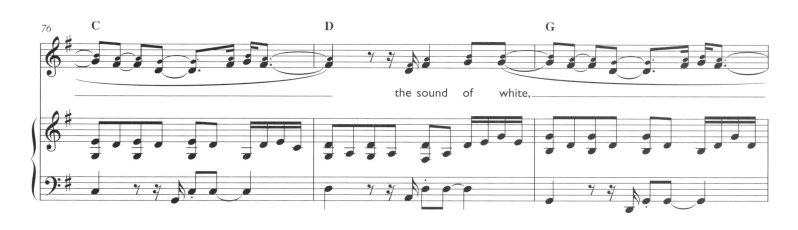

the sound of white,_

_ the sound of white,_ the sound of white._

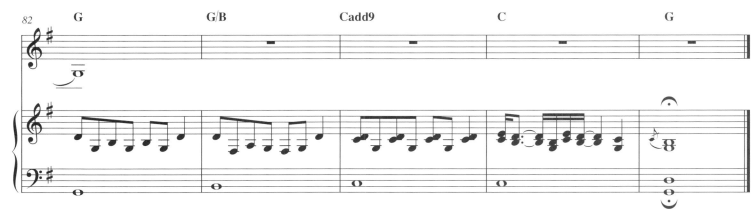

They Weren't There

Words and Music by
MISSY HIGGINS

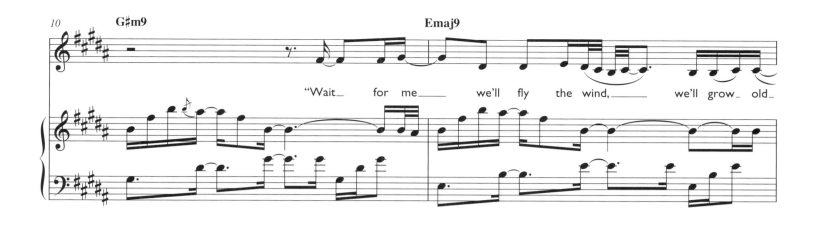

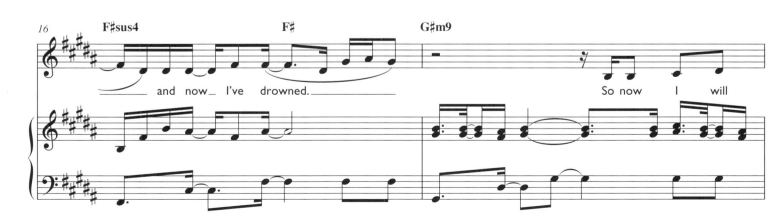

be wait - ing for the world___ to hear___ my song___ so they can

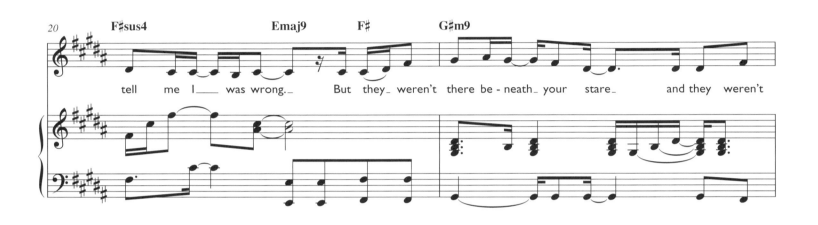

tell me I___ was wrong.___ But they_ weren't there be - neath_ your stare_ and they weren't

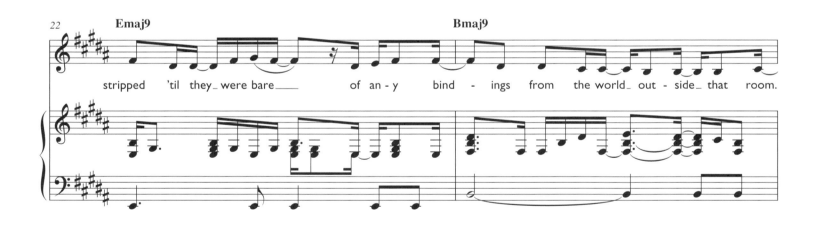

stripped 'til they_ were bare___ of an - y bind - ings from the world_ out - side_ that room.

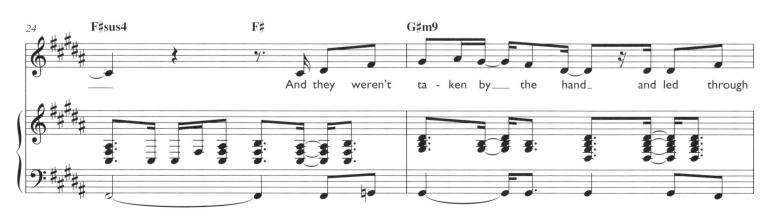

___ And they weren't ta - ken by___ the hand_ and led through

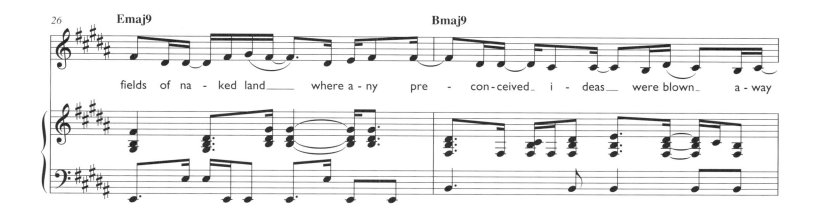

fields of na - ked land___ where a - ny pre - con - ceived i - deas___ were blown___ a - way

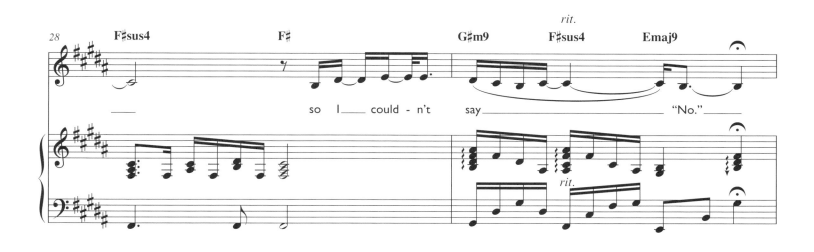

___ so I___ could - n't say___ "No."___

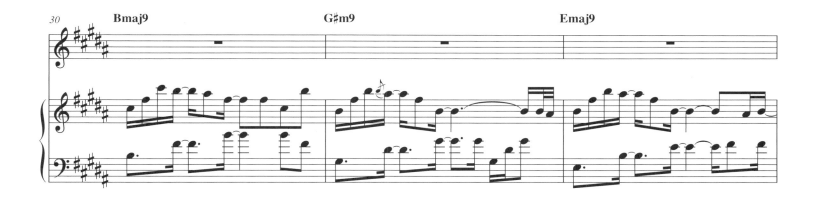

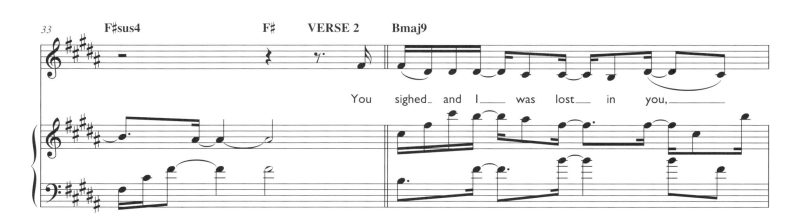

You sighed___ and I___ was lost___ in you,___

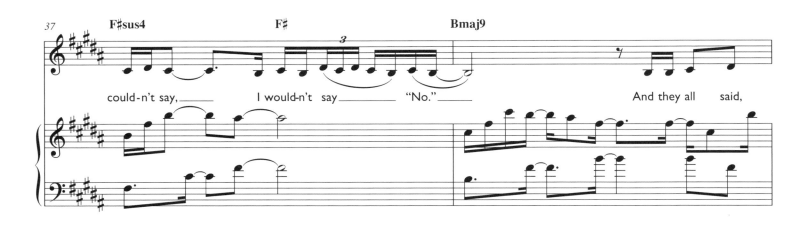

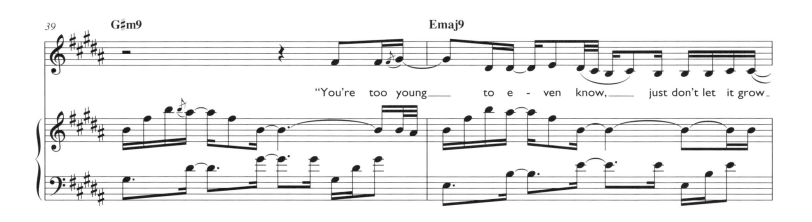

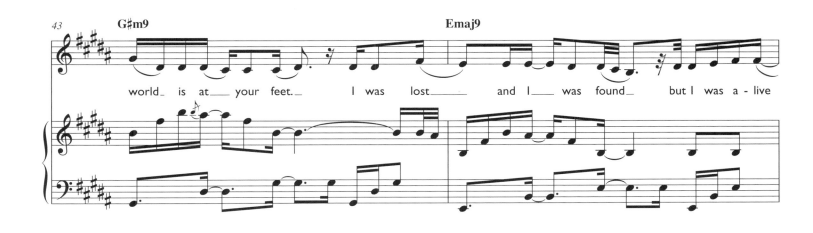

world_ is at_ your feet._ I was lost_____ and I_ was found_ but I was a - live

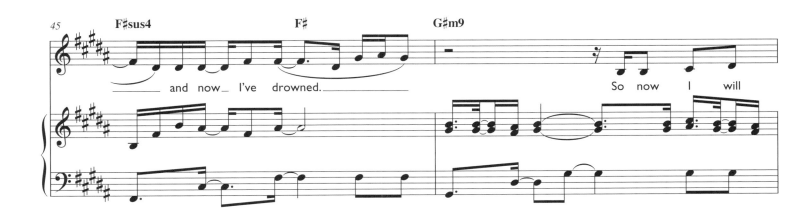

_____ and now_ I've drowned._____ So now I will

be wait - ing for the world_ to hear_ my song_ so they can

tell me I_ was wrong._ But they_ weren't there be - neath_ your stare_ and they weren't

BPA 10 9 8 7 6 5 4 3 2